VEGANO PELO
MEDITERRÂNEO

VEGANO PELO
MEDITERRÂNEO

PLANETA VEGANO

50 receitas que valem a viagem

Sumário

Introdução 8

Europa 19
Oriente Médio 87
África 107

Índice alfabético das receitas 124

No Mediterrâneo, uma mistura de cores e sabores única

Basta uma ida rápida ao supermercado e você encontra temperos como noz-moscada, canela, cravo-da-índia, cardamomo, entre outros. Tudo muito fácil e acessível ao bolso. Mas nem sempre foi assim. Esses produtos já tiveram seu peso cobrado em ouro e foram tão cobiçados que acabaram ajudando a impulsionar a corrida marítima em busca de novos territórios.

Graças também às especiarias, a culinária presente hoje nos países banhados pelo mar Mediterrâneo é muito rica – resultado da grande circulação de povos que, cada um à sua maneira, acrescentaram um produto, mostraram um outro jeito de cozinhar ou emprestaram seu toque diferenciado ao cardápio local. O resultado é um verdadeiro caldeirão gastronômico e cultural.

Para entendermos as características das comidas típicas dessa região, é bom voltar no tempo e aos livros de História. Considerado o maior mar interior do mundo (porque se liga ao oceano por meio de estreitos), o Mediterrâneo foi o grande responsável, na Antiguidade, pelo comércio entre fenícios, gregos e romanos. Foram povos que dominaram aquelas águas por séculos. Trocavam frutos, sementes e tudo o mais que despertasse o interesse e o apetite das nações vizinhas.

O mar Mediterrâneo só perdeu importância como rota marítima quando o poder trocou de mãos, a partir do domínio dos mouros sobre parte da Península Ibérica e da África, o que ocorreu dos séculos 8 ao 14. Durante esse período, o comércio arrefeceu. Seu novo apogeu só aconteceu mais tarde durante as Grandes Navegações, entre os séculos 15 e 17.

Na época, comerciantes de Veneza e Gênova detinham o monopólio das cobiçadas especiarias – e cobravam o quanto queriam. Foi aí que portugueses e espanhóis se lançaram em uma aventura mar adentro para buscar uma rota alternativa para as Índias e ter acesso direto ao Oriente e, consequentemente, às especiarias que eram usadas basicamente para conservar e mascarar o sabor de alimentos

como a carne e para preparar óleos, unguentos, cosméticos, incensos e medicamentos.

No século 15, Constantinopla era uma das cidades mais importantes do mundo, pois representava um porto seguro para as rotas que faziam o comércio no mar da região. Então, a tomada da cidade pelos turcos-otomanos também representou outro entrave para o comércio marítimo. Por terra ou pelo mar ficou praticamente impossível estabelecer uma rota que levasse à Índia ou à China, fontes das especiarias e dos artigos de luxo que tanto seduziam quanto enriqueciam os europeus.

Portugueses e espanhóis aproveitaram, então, sua proximidade com o oceano Atlântico e a África para tentar um caminho alternativo para os países que eram a fonte dos produtos tão desejados. Ao se lançarem ao mar, descobriram muito mais do que a rota almejada. Os espanhóis, capitaneados por Cristóvão Colombo, chegaram à América em 1492. A ideia do navegador genovês, cuja expedição foi bancada pelos reis católicos da Espanha, era alcançar a Índia através de uma intrincada rota marítima que previa chegar lá pelo oceano Atlântico. Acabou alcançando o Golfo do México. Já os portugueses, liderados por Pedro Álvares Cabral, aportaram no Brasil em 1500.

Novo capítulo da História

O descobrimento dessas regiões marcou uma nova fase na História e no comércio com os europeus. Com a sede de exploradores, os colonizadores foram avançando pelas regiões conquistadas e levando com eles todo tipo de alimentos até então desconhecidos na Europa. Esse comércio intenso perdurou por dois séculos e, sem dúvida, foi o grande responsável por termos hoje em nossas mesas a canela, o cravo-da-índia, a noz-moscada...

Esses e outros temperos passaram a frequentar os cardápios de toda a região, além do tomate e de um sem-número de pimentas de cores e sabores variados. A batata é outro alimento que, surgido nos Andes, ganhou os mares e se tornou a base da alimentação na Europa. Portanto, já dá para ter uma ideia de como a culinária do Mediterrâneo foi sendo moldada.

Tendência natural ao protagonismo

Séculos depois das grandes rotas comerciais, o Mediterrâneo voltou à tona com a descoberta, por parte dos cientistas e médicos, de que os povos dessa região viviam mais graças à sua dieta alimentar, rica em azeite de oliva, frutas, legumes, oleaginosas, leguminosas e cereais. Passam longe do prato deles alimentos industrializados e comida congelada, por exemplo.

Se considerarmos a tendência natural dessa região em ser protagonista da História, nada mais justo do que lançar um livro com delícias que podem ser encontradas nos países que são banhados por esse mar. Como são veganas, muitas exigiram adaptações e, principalmente, até novas versões, mas que foram inspiradas nas receitas originais. Neste livro, o Mediterrâneo é dividido em três partes – a europeia, que contempla Espanha, França, Malta, Mônaco, Itália, Eslovênia, Croácia, Bósnia, Montenegro, Albânia, Grécia, Turquia e Chipre; a oriental, com Síria, Líbano e Israel; e a africana, com Egito, Líbia, Tunísia, Argélia e Marrocos.

Cada país deu um toque especial ao seu prato. Em comum, só o uso generoso do azeite, das especiarias e dos condimentos que

emprestam cor e sabor a diversos pratos, como a paella da Espanha e o pilaf do Chipre. Ao analisarmos a cozinha de cada nação, entendemos, graças à rica história da região, como é difícil afirmar com certeza que esse ou aquele prato são típicos de determinado local.

Quer um exemplo? O delicioso moussaka, feito com generosas camadas de berinjela, molho e proteína de soja refogada, em nossa versão vegana, está presente na Grécia, na Turquia e nos Bálcãs. Babaganuche e homus também não têm origem definida. São atribuídos à região conhecida como Levante, que, para alguns historiadores, reúne Síria, Jordânia, Israel, Palestina, Líbano e Chipre. Outros, com visão mais ampla dessa região, também incluem Turquia, Iraque, Arábia Saudita e Egito. Então, atribuir a origem de uma receita a esse ou aquele país é ainda mais difícil quando falamos do Mediterrâneo, principalmente pela intensa miscelânea cultural que marca a região.

Cada país, uma característica

Embora pareça um grande caldeirão cultural, é possível ver em cada país a predileção por um ou outro ingrediente. Na parte europeia, por exemplo, um dos frutos que melhor se adaptaram à culinária italiana foi o tomate. Retirado da Cordilheira dos Andes, ele foi levado para a Europa, mas ganhou vida nova nas mãos dos italianos. Foi aperfeiçoado e virou o famoso "*pomodoro*" ou "pomo de ouro", na língua local. Quando recebeu um toque de azeite, raspas de limão-siciliano e manjericão, a humanidade ganhou uma delícia que faz qualquer apreciador da gastronomia lambuzar-se.

Já na França, é impossível não citar a predileção do povo local por massas, pães e doces. A doçaria francesa é conhecida e apreciada no mundo todo. Nas versões veganas recriadas, não poderia faltar a tradicional clafoutis – um tipo de torta com frutas, preferencialmente cerejas frescas, que são assadas em um creme à base de ovos, leite, farinha e açúcar. Na versão criada, recebeu ingredientes vegetais e uma massa com castanha de caju demolhada e batida em substituição aos ovos.

Na Espanha, o grande desafio foi recriar a famosa torta de Santiago. Criação da Galícia, essa receita tradicional leva basicamente farinha de amêndoa, ovos e açúcar. Aqui, a adaptação foi feita apenas com três ingredientes principais: farinha de amêndoa, leite vegetal e açúcar. Ficou igualmente deliciosa, com a diferença de que foi feita sem qualquer produto de origem animal.

Mesa leve e farta, que privilegia produtos da estação

Se alguém perguntar qual a característica mais forte da cozinha mediterrânea, é possível dizer que, além do azeite, é a sazonalidade. Os povos à margem do Mediterrâneo sabem aproveitar todos os ingredientes da terra de acordo com o ciclo natural durante o ano. Com isso, conseguem criar receitas com os ingredientes mais frescos de cada estação e, consequentemente, os mais econômicos também.

Com exceção dos países mais europeizados, como França, Itália e Espanha, o que se vê é uma cozinha rústica que usa o azeite extra virgem com maestria, além de muitas frutas frescas e secas, oleaginosas e temperos. Para acompanhar, vinhos caseiros de excelente qualidade.

Seguindo nossa viagem gastronômica, outro país que surpreendeu pela simplicidade da receita e pelo sabor incomparável foi o

Egito. Seus bolinhos de nome complicado – taamia, à base de fava ou grão-de-bico, servidos com tahine – foram um delicioso presente. Pense em uma receita muito fácil e saborosa. Vai ser difícil você e seus convidados comerem um só.

    O mesmo se pode dizer do molho tahine feito em casa. Seu preparo não exige técnica, apenas paciência e cuidado para não sobrecarregar o liquidificador. Mas você não vai se arrepender do resultado final, que não fica devendo nada aos melhores molhos importados.

    E o que falar do cuscuz marroquino? O desafio aqui foi criar uma receita que fugisse de tudo que já foi feito por aí. A ideia então foi usar e abusar das oleaginosas e frutas secas (nozes, amêndoa, ameixa seca, uva-passa, tâmara etc.) para criar um sabor único.

    Nas próximas páginas, você vai descobrir um mundo de sabores muito especial, milenar e cercado de mistérios. Aproveite a sua viagem e bom apetite!

Cada país, uma herança gastronômica

Algumas combinações de legumes, ervas e especiarias logo nos remetem a países específicos dessa maravilhosa região. Selecionamos alguns ingredientes e misturas clássicas para você mergulhar nos sabores do Mediterrâneo sem sair da cozinha. Delicie-se!

Argélia	pimentão, fava, azeitona e abobrinha
Albânia	trigo, milho, centeio, grão-de-bico
Bósnia	berinjela, abobrinha, pimentão, páprica, tomate, arroz
Chipre	tomilho, tomate, azeitona, aipo, alcachofra
Croácia	azeite extra virgem, vinho, amêndoa
Egito	fava, grão-de-bico ou lentilha; pistache, avelã ou nozes
Eslovênia	batata, repolho, canela, nozes
Espanha	páprica doce, pimentão, açafrão, grão-de-bico, aspargos

França	azeite extra virgem, verduras, tomate, cogumelos
Grécia	azeite extra virgem, grãos, pão e vinho
Israel	batata, cúrcuma, cogumelos e berinjela, tahine, grão-de-bico
Itália	tomate, manjericão, limão-siciliano, folhas verdes, massas (frescas e secas)
Líbano	pepino, berinjela, ervilha, nozes, tomate e gergelim
Líbia	cebola, tomate, pimenta, açafrão, ervilha, hortelã e salsinha
Malta	tomate, azeite extra virgem, grão-de-bico, legumes
Marrocos	cominho, açafrão, gengibre, tahine, páprica doce e picante
Montenegro	legumes, verduras (como a couve-de-bruxelas), cereais, ervas aromáticas e azeite extra virgem
Síria	berinjela, azeite extra virgem, pimentas variadas (síria, do reino), canela, pinoli
Tunísia	alface, tomate, pepino, alho, cominho, alcarávia, coentro e azeite extra virgem
Turquia	massas, vegetais, pistache, gergelim e azeite extra virgem

ESPANHA

GASPACHO

 4 PORÇÕES   30 MINUTOS + TEMPO DE GELADEIRA

5 tomates vermelhos bem maduros sem sementes
½ pimentão vermelho sem sementes
1 cebola média
1 dente de alho grande ralado
1 ramo pequeno de cheiro-verde
¼ de xícara de azeite
1 colher (sopa) de vinho vegano
sal e pimenta-do-reino moída na hora a gosto
1 pepino sem casca cortado em pedaços
4 cubos de gelo
Croûtons a gosto para servir (opcional)

1 Corte o tomate, o pimentão e a cebola em pedaços médios. Ponha em uma tigela com o alho, o cheiro-verde, o azeite, o vinho, sal e pimenta. Misture, tampe a tigela e leve à geladeira por uma noite. 2 No dia do preparo, descarte o cheiro-verde e bata o restante da mistura no liquidificador com o pepino e o gelo, mas reserve alguns pedaços do pepino para decorar. Tempere com mais sal e pimenta, se necessário. 3 Sirva decorado com os pedaços de pepino reservados e, se desejar, com croûtons.

! *Se ficar muito ácido para o seu paladar, adicione um pouquinho de açúcar.*

ESPANHA

PAELLA DE LEGUMES

 6 PORÇÕES   35 MINUTOS

Coloque o azeite em uma frigideira funda ou paellera e aqueça um pouco. Corte a cenoura e a vagem em pedaços pequenos. Acrescente à frigideira, refogando por 5 minutos. Junte a páprica, o tomate e metade do caldo. Cozinhe em fogo médio por 15 minutos. Coloque o açafrão e sal. Acrescente o arroz aos poucos e o caldo restante, mexendo de vez em quando. Adicione os pimentões e cozinhe por mais 20 minutos em fogo baixo, mexendo às vezes. Caso seque antes de o arroz estar macio, acrescente mais um pouco de caldo de legumes. Deixe descansar por 5 minutos antes de servir.

! *O melhor arroz para fazer a paella é o bomba, um tipo espanhol. Não tendo esse, use o agulhinha ou outro de sua preferência. Atenção ao tempo de cozimento porque o grão deve ficar macio, mas firme.*

- 1 colher (sopa) de azeite
- 2 cenouras médias sem casca
- 200 g de vagem francesa
- 1 colher (chá) de páprica doce
- 3 tomates grandes sem sementes picados
- 2 xícaras de caldo de legumes caseiro
- 1 colher (chá) de açafrão-da-terra (ou cúrcuma)
- sal a gosto
- 2 xícaras de arroz
- 1 pimentão verde pequeno sem sementes cortado em cubos
- 1 pimentão vermelho pequeno sem sementes cortado em cubos
- 1 pimentão amarelo pequeno sem sementes cortado em cubos

TURQUIA

PIMENTÕES RECHEADOS

 4 PORÇÕES   45 MINUTOS

4 pimentões pequenos (2 amarelos, 1 vermelho e 1 verde)
1½ xícara de molho de tomate caseiro
1 colher (sopa) de azeite
1 cebola bem picada
2 dentes de alho ralados
1¼ xícara de quinoa branca
sal e pimenta-do-reino branca moída na hora a gosto
2 xícaras de água quente
uvas-passas e nozes picadas a gosto

1 Corte os pimentões ao meio e descarte as sementes do miolo. Lave bem e escorra. Cubra um refratário com o molho de tomate e arrume os pimentões sobre o molho. Reserve.
2 À parte, em uma panela, leve ao fogo o azeite e refogue a cebola e o alho. Quando ficarem transparentes, adicione a quinoa e tempere com sal e pimenta. Misture bem e acrescente a água. Cozinhe até secar. 3 Misture as nozes e as uvas-passas com a quinoa cozida e ponha colheradas dessa mistura dentro de cada pimentão. Cubra com papel-alumínio e leve ao forno por 25 minutos ou até o pimentão ficar macio. Sirva em seguida.

! *Dolmã, como este prato é conhecido, é o nome dado a vários tipos de vegetais recheados. O tradicional é preparado com arroz. Portanto, você pode usar sobras desse alimento para fazer esta receita colorida e cheia de sabor. Se preferir, misture soja cozida e bem temperada.*

GRÉCIA

LASANHA DE BERINJELA

 4 PORÇÕES   45 MINUTOS

BERINJELAS
2 berinjelas médias cortada em fatias finas
azeite para pincelar e untar
sal e pimenta-do-reino a gosto

MOLHO DE PROTEÍNA DE SOJA
um fio de azeite
1 cebola pequena picada
1 dente de alho ralado
1 xícara de proteína texturizada de soja hidratada e bem escorrida (veja dica)
sal e pimenta-do-reino moída na hora
1 ramo de manjericão fresco
suco coado de 1 limão
1 lata de tomate pelado bem picado
½ colher (chá) de canela em pó

MOLHO BRANCO
1 colher (sopa) de azeite
½ colher (sopa) de farinha de trigo
1 xícara de leite de girassol
¼ de xícara de tofu defumado cremoso
sal, pimenta-do-reino branca moída e noz-moscada ralada na hora a gosto

1 Preaqueça o forno a 180 ºC. Pincele as fatias de berinjela com azeite e grelhe-as dos dois lados em uma grelha ou frigideira antiaderente. Polvilhe com os temperos e reserve.
2 Para fazer o molho de soja, em uma panela aqueça o azeite e refogue a cebola e o alho até começarem a dourar. Adicione a soja, os temperos e o suco de limão. Misture bem e cozinhe por 10 minutos, mexendo às vezes.
3 Acrescente o tomate pelado com o líquido da lata, mexendo sempre. Cozinhe, em fogo baixo, até o líquido reduzir um pouco. Ponha a canela. Mexa bem, descarte o ramo de manjericão e reserve. **4** Para fazer o molho branco, misture bem o azeite e a farinha em uma panela pequena e cozinhe por 2 minutos. Adicione o leite aos poucos misturando sem parar até desfazer os "grumos". Acrescente o tofu. Misture bem e acrescente os temperos. Misture e deixe no fogo por mais 2 minutos, mexendo. Retire e reserve. **5** Para a montagem, forre uma fôrma retangular com metade da berinjela. Cubra com o molho de soja e parte do molho branco. Repita as camadas e finalize com o molho branco. Leve ao forno por 10 minutos. Retire e sirva imediatamente regado com um fio de azeite e decorado com mais folhas de manjericão fresco.

! *Esta receita é uma versão do tradicional Moussaka. Para hidratar a soja, deixe-a de molho em água quente por 20 minutos. Depois, escorra bem e tempere a gosto.*

CHIPRE

PILAF COM ESPECIARIAS

 4 PORÇÕES   40 MINUTOS + TEMPO DE REMOLHO

½ xícara de trigo
1 colher (sopa) de azeite
1 cebola média picada
4 cravos-da-índia
2 paus de canela
1 colher (chá) de semente de cominho
1 colher (chá) de cúrcuma
   (ou açafrão-da-terra)
2 sementes de cardamomo esmagadas
1 xícara de arroz
2 xícaras de caldo de legumes
amêndoas em lascas ligeiramente
   torradas a gosto para decorar

Deixe o trigo de molho na água por uma noite. Escorra e reserve. Em uma panela, aqueça o azeite e refogue a cebola. Junte as especiarias e cozinhe por 5 minutos, mexendo às vezes. Acrescente o arroz e o trigo e frite, mexendo sempre, por 5 minutos. Cubra com o caldo, mexa novamente, e cozinhe com a panela tampada por 10 minutos ou até o arroz e o trigo ficarem macios e o caldo secar. Retire do fogo e sirva imediatamente decorado com as amêndoas em lascas.

BYREK

 6 PORÇÕES   50 MINUTOS

MASSA

½ xícara de água morna
2 colheres (sopa) de azeite
sal a gosto
1¼ xícara de farinha de trigo
½ colher (chá) de fermento químico em pó
1 xícara de amido de milho para polvilhar

RECHEIO

um fio de azeite
1 cebola pequena picada
1 dente de alho ralado
1 maço de espinafre
sal, pimenta e noz-moscada ralada a gosto
100 g de tofu defumado cremoso
½ xícara de leite vegetal
nozes ou amêndoas picadas a gosto
cúrcuma e azeite misturados para pincelar

---

1 Para fazer a massa, aqueça a água com o azeite e sal, sem chegar ao ponto de fervura. Ponha a farinha em uma tigela e adicione, aos poucos, a mistura com água quente. Misture bem. Adicione o fermento e sove a massa até soltar das mãos. Tempere com sal e sove mais. Reserve por 15 minutos. 2 Em uma superfície limpa abra a massa e polvilhe-a com ¼ de xícara de amido. Enrole, abra novamente e polvilhe mais. Faça isso quatro vezes. Reserve. 3 Para preparar o recheio, aqueça o azeite em uma frigideira e refogue a cebola e o alho. Junte o espinafre e refogue bem até começar a murchar. Adicione os temperos. Misture e acrescente o tofu e o leite. Mexa mais e cozinhe até reduzir. Deixe esfriar para rechear a massa. 4 Preaqueça o forno a 180 °C. Abra a massa mais uma vez em formato de um retângulo e ponha o recheio, mas deixe uma borda de 4 cm livre. Polvilhe com as nozes e ou amêndoas. Enrole como um rocambole. Depois, enrole novamente, formando um caracol. 5 Pincele com a mistura de cúrcuma e azeite e leve ao forno por 40 minutos ou até dourar e a massa ficar assada.

FRANÇA

BATATA GRATINADA

 4 PORÇÕES   45 MINUTOS

CREME BRANCO

1 ½ xícara de leite de semente de girassol
1 colher (sopa) de azeite
1 colher (sopa) de farinha de trigo
sal, pimenta-do-reino branca moída e noz-moscada ralada na hora a gosto
100 g de tofu cremoso defumado

BATATA

5 batatas grandes e sem casca cortadas em lâminas finas
1 colher (sopa) de azeite
1 cebola ralada
1 dente de alho ralado
sal e pimenta-do-reino branca moída na hora a gosto
alecrim a gosto

1 Para fazer o creme, aqueça o leite de girassol até começar a ferver. Em outra panela, aqueça o azeite e refogue a farinha por 5 minutos. Adicione o leite aos poucos, mexendo sempre com um batedor de mão (fouet) para não empelotar. Tempere com sal, pimenta e noz-moscada. Misture bem e acrescente o tofu cremoso, mexendo sempre até incorporá-lo. Retire do fogo e reserve. 2 Preaqueça o forno a 180 °C. Para fazer a batata, em um refratário médio, arrume uma camada de batata. À parte, misture em uma tigela o azeite, a cebola e o alho. Tempere com sal e pimenta. Espalhe parte dessa mistura sobre a batata. 3 Cubra com um pouco do creme branco. Repita as camadas de batata, de azeite temperado e creme branco e termine com o creme. Polvilhe com o alecrim. Leve ao forno por 25 minutos ou até o creme firmar e a batata ficar macia. Sirva quente.

RATATOUILLE

FRANÇA

 6 PORÇÕES   1 HORA

Preaqueça o forno a 180 °C. Corte os legumes em rodelas finas e unte com um pouco de azeite um refratário. Arrume os legumes alternadamente. Regue com o azeite restante e o aceto. Tempere com sal e pimenta e decore com folhas de manjericão. Leve ao forno em temperatura baixa por 45 minutos ou até que os legumes fiquem macios. Sirva quente ou em temperatura ambiente.

- 2 abobrinhas italianas médias
- 2 berinjelas médias
- 4 tomates médios
- ¼ de xícara de azeite
- 1 colher (sopa) de aceto balsâmico
- sal e pimenta-do-reino moída na hora a gosto
- 1 ramo grande de manjericão

! *Um truque para que os legumes cozinhem todos mais ou menos ao mesmo tempo é cortar os que demoram mais para cozinhar em rodelas finas e os que demoram menos em rodelas ligeiramente mais grossas.*

BÓSNIA

CEPAVI

 6 PORÇÕES   55 MINUTOS

1 xícara de proteína texturizada de soja
2 xícaras de água quente
1 colher (sopa) de azeite
1 dente de alho
1 cebola pequena ralada
sal, pimenta-do-reino preta moída na hora, cominho em pó e salsinha fresca picada a gosto
¼ de xícara de vinho branco vegano
¼ de xícara de amaranto em flocos
⅓ de xícara de tofu fresco bem picado
molho de tomate caseiro a gosto para servir

1 Deixe a soja de molho na água quente por 20 minutos. Escorra bem e reserve. Numa frigideira, aqueça metade do azeite e refogue o alho e a cebola até ficarem transparentes. 2 Junte a soja e tempere com sal, pimenta, cominho e salsinha. Acrescente o vinho e deixe apurar para secar bem. Retire do fogo e reserve até esfriar. 3 Transfira para uma tigela e acrescente os ingredientes restantes, misturando bem até dar liga. Se necessário, adicione mais amaranto para ficar no ponto desejado. Preaqueça o forno a 180 ºC. Molde bolinhos pequenos e asse por até 25 minutos ou até dourarem. Sirva com molho caseiro de tomate.

NHOQUE DE SEMOLINA

ITÁLIA

 4 PORÇÕES   50 MINUTOS

1 cebola média
4 cravos
2½ xícaras de leite vegetal
2 folhas de louro
3 galhos de tomilho fresco
sal, pimenta-do-reino branca moída e
  noz-moscada ralada na hora a gosto
1 xícara de semolina
½ xícara de azeite

MOLHO DE VINHO

3 colheres (sopa) de azeite
3 dentes de alho ralados
sal, pimenta-do-reino branca moída
  na hora a gosto
1 colher (chá) de aceto balsâmico
¼ de xícara de vinho branco
tomilho-limão picado a gosto
suco de 1 limão
raspas da casca de 1 limão sem a
  parte branca

PESTO DE MANJERICÃO

¼ de xícara de tofu defumado ralado
2 dentes de alho sem casca
½ xícara de manjericão fresco
⅓ de xícara de azeite
sal e pimenta-do-reino branca moída
  na hora a gosto

---

1 Remova a casca da cebola e espete os cravos nela. Leve o leite vegetal ao fogo com o louro, a cebola com os cravos, o tomilho, sal e noz-moscada. **2** Aqueça em fogo baixo por 10 minutos. Retire do fogo e coe. Volte o leite ao fogo e, aos poucos, junte a semolina mexendo sempre. Ponha o azeite e tempere com mais sal e pimenta-do-reino branca. Misture bem até soltar da panela. Retire e reserve até esfriar ao ponto de conseguir moldar o nhoque. **3** Forme pequenos cilindros achatados e disponha em uma assadeira untada com azeite. Reserve. **4** Para fazer o molho, leve ao fogo em uma panela o azeite e o alho. Refogue rapidamente e adicione os ingredientes restantes. Misture bem e deixe apurar em fogo baixo por 5 minutos. Retire e despeje sobre o nhoque. Leve ao forno por 10 minutos. **5** Enquanto o nhoque está no forno, prepare o pesto. No liquidificador, bata todos os ingredientes, aos poucos, até virar um molho cremoso. Sirva sobre o nhoque.

! Experimente servir este molho de vinho no Ratatouille. Fica delicioso!

CHIPRE

TAHINE

 1½ XÍCARA   40 MINUTOS

2 xícaras de gergelim branco
⅓ de xícara de azeite (opcional)
uma pitada de sal

Sem untar, aqueça uma frigideira e ponha o gergelim. Mexa sempre com uma espátula por 5 minutos ou até os grãos começarem a dourar. Não os deixe escurecer, pois pode amargar a receita. Transfira para o processador e adicione o azeite e o sal. Bata até virar uma pasta. Pause o aparelho às vezes para não forçar o motor e queimá-lo. Use em suas receitas.

! *A versão original não leva azeite. Mas esse óleo, além de facilitar o processamento das sementes, dá um sabor especial à receita.*

FRITADA DE ESPAGUETINHO

MALTA

 4 PORÇÕES   30 MINUTOS

2 colheres (sopa) de azeite
1 dente de alho ralado
1 cebola pequena ralada
½ xícara de massa do tipo espaguete vegana bem fina e cozida al dente
sal e pimenta-do-reino moída na hora a gosto
1 xícara de tofu fresco marinado e picado
2 colheres (sopa) de tofu cremoso
2 colheres (sopa) de leite vegetal
tofu defumado ralado a gosto para decorar (opcional)
cheiro-verde picado a gosto

1 Numa frigideira, aqueça metade do azeite e refogue o alho e a cebola até ficarem transparentes. Passe o espaguetinho nessa mistura e deixe por 5 minutos, mexendo às vezes. Tempere com sal e pimenta. Retire e reserve. 2 No liquidificador, bata bem o tofu marinado, o tofu cremoso, sal, pimenta e o leite vegetal. Bata bem até virar uma mistura homogênea. Transfira para uma tigela e misture com a massa temperada. 3 Pincele uma frigideira antiaderente com mais azeite e ponha porções da "fritada" de tofu. Quando começar a dourar, vire com cuidado para dourar do outro lado. Se desejar, polvilhe com tofu defumado ralado antes de servir e decore com o cheiro-verde picado.

! *A receita original leva vermicelli (um tipo de espaguete finíssimo), que é difícil de encontrar em versão vegana. Por isso, a receita foi preparada com espaguete.*

ESLOVÊNIA

STRUDEL DE ALHO-PORÓ E TOFU

 8 FATIAS   45 MINUTOS

RECHEIO

1 fio de azeite
1 dente de alho picado
1 cebola pequena picada
1 talo de alho-poró em rodelas
100 g de tofu marinado
sal, pimenta-do-reino moída na hora e noz-moscada ralada a gosto

MASSA

1 xícara de água
½ envelope de fermento biológico seco instantâneo
uma pitada de açúcar
2½ xícaras de farinha de trigo
sal a gosto
1 xícara de amido de milho
azeite para pincelar
gergelim branco a gosto

1 Comece pelo recheio. Numa frigideira, aqueça o azeite e refogue rapidamente o alho e a cebola. Adicione o alho-poró e o tofu picado. Refogue por 5 minutos, mexendo sempre. Tempere com sal, pimenta e noz-moscada. Deixe apurar um pouco para secar o excesso de líquido. Retire e deixe esfriar. 2 Para fazer a massa, aqueça ligeiramente a água e junte o fermento e o açúcar. Reserve por alguns minutos. Adicione o azeite, mexa com cuidado e reserve. Ponha a farinha em uma tigela e acrescente, aos poucos, a água com o fermento e o azeite. Misture bem. 3 Sove a massa até soltar das mãos. Ponha sal e sove mais. Em uma superfície limpa, abra a massa e polvilhe-a com o amido. Enrole, abra novamente e polvilhe com mais amido. Faça isso quatro vezes. 4 Preaqueça o forno a 180 °C. Abra a massa sobre um pano de prato limpo e recheie, deixando um espaço de 4 cm nas laterais. Dobre as pontas em direção ao recheio para que ele não escape. Enrole, como um rocambole, com ajuda do pano de prato. 5 Pincele com azeite e polvilhe com gergelim. Asse por 35 minutos ou até dourar ligeiramente e a massa ficar assada.

! *Esta é uma adaptação do Zavitek, um tipo de strudel feito com legumes.*

PANQUECA DE GRÃO-DE-BICO

MÔNACO

 4 PORÇÕES   35 MINUTOS

⅔ de xícara de farinha de grão-de-bico
sal, pimenta-do-reino moída na hora e lemon pepper a gosto
4 colheres (sopa) de azeite + um pouco para servir
½ xícara de água
1 dente de alho ralado
1 cebola pequena ralada
tomates cereja a gosto para decorar
ervas frescas variadas a gosto para decorar

1 Misture em uma vasilha a farinha de grão-de-bico, sal, 3 colheres (sopa) de azeite, pimenta e lemon pepper. Acrescente a água aos poucos, o alho e a cebola, mexendo com um batedor de mão (fouet) para não formar grumos. Leve à geladeira por, no mínimo, 1 hora ou de um dia para o outro. 2 Preaqueça o forno a 180 °C. Unte uma fôrma antiaderente com o azeite restante e ponha porções da massa. Cozinhe por 10 minutos ou até começar a dourar. Vire e deixe dourar do outro lado. Se preferir, cozinhe em uma frigideira antiaderente. Sirva decorada com tomate cereja, ervas frescas e mais azeite.

! *Conhecida como Socca, esta espécie de panqueca é servida como aperitivo.*

MÔNACO

PÃO DE ERVAS

 8 UNIDADES   1H30

2 xícaras de farinha de trigo
½ xícara de farinha de trigo integral
1 envelope (10 g) de fermento biológico seco instantâneo
2½ xícaras de água morna
1 xícara de azeite
uma pitada de sal
mix de ervas frescas picadas a gosto (tomilho-limão, alecrim, manjericão)

1 Numa tigela, misture os dois tipos de farinha e o fermento. Acrescente a água morna e metade do azeite. Misture com as mãos e junte o sal. Continue misturando até virar uma massa homogênea. Reserve por 10 minutos. 2 Unte uma superfície lisa com farinha e sove a massa por 10 minutos, acrescentando o azeite restante. Divida a massa em duas partes iguais. Reserve por 45 minutos ou até dobrar de tamanho. 3 Preaqueça o forno a 180 °C. Misture as ervas e divida em oito porções. Pressione com as mãos e achate cada uma das porções de massa na superfície de trabalho. Molde pequenos pães. Transfira para assadeiras untadas com azeite e faça alguns cortes. Leve ao forno por 35 minutos até que, ao espetar um palito, ele saia seco, ou que a massa comece a dourar.

! *Este pãozinho se chama Fougasse e tem cortes e ranhuras que lembram folhas. Use suas ervas preferidas para prepará-lo.*

FOCACCIA

ITÁLIA

 8 PEDAÇOS   2 HORAS

MASSA

1 ¼ xícara de água morna
½ colher (sopa) de açúcar
1 envelope (10 g) de fermento biológico seco instantâneo
¼ de xícara de azeite
3 xícaras de farinha de trigo
2 colheres (chá) de sal

COBERTURA

½ colher (sopa) de sal grosso
folhas de manjericão fresco a gosto
100 g de tomates cereja cortados ao meio
¼ de xícara de azeitona preta sem caroço
1 colher (sopa) de azeite

1 Junte ¼ da água com o açúcar e o fermento. Misture bem e reserve por 5 minutos. Junte a água restante, o azeite e misture. 2 À parte, misture a farinha e o sal. Faça uma depressão no centro e adicione a mistura de fermento. Misture até ficar homogêneo. Depois, sove bem até a massa ficar elástica. 3 Transfira para uma assadeira grande, cubra e reserve por 45 minutos. Preaqueça o forno a 180 °C. Pressione com a ponta dos dedos toda a massa. Arrume sobre a massa o sal grosso, o manjericão, o tomate e a azeitona. Regue com o azeite e leve ao forno por 20 minutos ou até dourar. Espere amornar, corte e sirva.

FRANÇA

CLAFOUTIS DE FRUTAS VERMELHAS

 4 PORÇÕES   50 MINUTOS

200 g de mirtilo (ou a fruta vermelha que preferir)
½ xícara de açúcar
½ xícara de farinha de trigo
uma pitada de sal
1 xícara de castanha de caju demolhada e bem escorrida
1 ½ xícara de leite vegetal
óleo para untar
açúcar cristal ou de confeiteiro para polvilhar

1 Polvilhe as frutas com metade do açúcar e reserve.
2 Em uma vasilha peneire a farinha de trigo e transfira para uma tigela com o açúcar restante e o sal. Mexa bem. 3 Bata a castanha de caju no liquidificador com ½ xícara do leite vegetal e transfira para a tigela com a farinha. Junte o leite vegetal restante e mexa muito bem até virar uma mistura cremosa. 4 Preaqueça o forno a 180 °C. Ponha as frutas em um refratário médio untado com óleo e, por cima, despeje a massa. Leve o refratário ao forno por 35 minutos ou até que, ao espetar um palito, ele saia seco. Deixe esfriar e polvilhe com o açúcar de confeiteiro. Sirva frio.

! *Clafoutis é um doce francês originalmente feito com cerejas encobertas por um creme à base de leite e farinha.*

ITÁLIA

TIRAMISU

 4 PORÇÕES   2 HORAS

BASE
12 biscoitos veganos
1½ de xícara de café forte sem adoçar para umedecer os biscoitos

CREME
2½ xícaras de leite vegetal
½ xícara de tofu fresco picado
2 colheres (sopa) de amido de milho
3 colheres (sopa) de açúcar demerara
1 colher (sopa) de essência de amêndoas

COBERTURA
1 xícara de raspas de chocolate
2 colheres (sopa) de essência de rum

1 Para fazer a base, umedeça ligeiramente os biscoitos no café e reserve. 2 Faça o creme batendo no liquidificador o leite vegetal com o tofu até virar uma mistura homogênea. Transfira para uma panela e leve ao fogo com os demais ingredientes. Misture bem e cozinhe até começar a engrossar ligeiramente. Retire do fogo e reserve.
3 Para fazer a cobertura, leve ao fogo o chocolate em banho-maria até derreter. Adicione o rum e misture bem. Reserve.
4 Monte o doce alternando camadas de biscoito umedecido no café e o creme. Finalize com o creme. Cubra com uma generosa camada de chocolate derretido e leve à geladeira até o momento de servir.

ITÁLIA

SALAME DE CHOCOLATE

 8 PEDAÇOS   30 MINUTOS + TEMPO DE GELADEIRA

- 200 g de chocolate vegano meio amargo
- 1 colher (sopa) de óleo de coco + um pouco para untar
- 150 g de biscoito vegano (do tipo maisena ou cookies) picado grosseiramente
- cacau em pó a gosto para polvilhar

1 Pique grosseiramente o chocolate e o coloque em uma panela. Derreta-o em banho-maria, mexendo sempre com uma espátula até ficar cremoso e sem grumos. Adicione o óleo e o biscoito picado. Misture muito bem. 2 Despeje essa mistura sobre uma folha de papel-manteiga ligeiramente untada com óleo de coco. Espere esfriar para enrolar com ajuda do papel, dando o formato de um rocambole.
3 Feche as pontas do papel e leve à geladeira até o momento de servir. Antes de servir, tire o salame de chocolate da geladeira 15 minutos antes e remova o papel. Ponha no prato de servir e polvilhe com cacau.

GRANITA DE LARANJA

ITALIA

 4 PORÇÕES   35 MINUTOS + TEMPO DE GELADEIRA

1 Aqueça a água com o açúcar em uma panela, em fogo baixo, até ferver. Mantenha no fogo por mais 2 minutos, mexendo sempre. Adicione o suco de laranja e o de limão e as raspas (reserve algumas para decorar). 2 Desligue o fogo, tampe a panela e deixe esfriar. Despeje a mistura em uma fôrma e leve ao congelador até endurecer. Quando congelar, raspe com um garfo até obter consistência de raspadinha. 3 Leve novamente ao congelador por 5 horas. Raspe um pouco mais da superfície com um garfo e sirva decorado com as raspas reservadas ou pedaços de laranja.

4 xícaras de água
1 xícara de açúcar
suco coado de 5 laranjas
1 colher (sopa) de suco coado de limão
raspas da casca de 1 laranja sem a parte branca ou pedaços de laranja para decorar

! *Ao cortar a casca da fruta, evite cortar a parte branca, pois ela amarga a receita.*

FRANÇA

TORTA INVERTIDA DE MAÇÃ

 6 FATIAS   55 MINUTOS

MASSA

1½ xícara de farinha de trigo + um pouco para polvilhar
1 colher (sopa) de açúcar
uma pitada de sal
½ xícara de óleo de coco
3 colheres (sopa) de água gelada

RECHEIO

3 maçãs gala grandes
suco coado de 1 limão-siciliano
1 xícara de açúcar
1 colher (sopa) de óleo de coco
canela em pau, cardamomo e anis-estrelado a gosto
canela em pó a gosto para polvilhar (opcional)

1 Faça a massa colocando em uma tigela a farinha, o açúcar e o sal. Misture bem. Junte o óleo aos poucos e misture com as mãos, rapidamente. Adicione a água aos poucos e misture a cada adição até virar uma bola elástica. Embrulhe em filme de PVC e leve à geladeira por uma noite. Reserve. 2 Para fazer o recheio, com uma faca bem afiada, descasque a maçã e remova as sementes. Corte a maçã na vertical em 8 partes e regue com o suco de limão. 3 Numa panela, coloque o açúcar e o óleo e leve ao fogo médio. Deixe no fogo até virar uma calda mais espessa, mexendo às vezes. Em seguida, reduza o fogo e coloque as maçãs na calda. Junte as especiarias e cozinhe por 5 minutos, mexendo às vezes. Retire do fogo. 4 Preaqueça o forno a 180 °C. Monte a torta distribuindo as maçãs em uma fôrma redonda de 20 cm antiaderente untada com óleo. Regue com o restante da calda (descarte as especiarias antes) e polvilhe com um pouco de canela em pó. 5 Abra a massa sobre uma superfície polvilhada com farinha e cubra as maçãs com ela, chegando à borda da fôrma. Force para baixo a parte que ficará encostada na borda, para não deixar espaços abertos. 6 Corte o excesso de massa na borda e faça furos nela com um garfo. Leve ao forno por 45 minutos ou até dourar. Retire do forno, espere amornar, desenforme e sirva.

! *Esta receita é uma adaptação vegana da Tarte Tatin, outra especialidade francesa, feita com massa folhada. Durante o cozimento, a calda pode entornar caso você não feche bem a borda da torta. Então, coloque a fôrma dentro de uma assadeira maior para evitar que suje seu forno.*

ROSCA DE NOZES

ESLOVÊNIA

 8 FATIAS   1H30

1 Para fazer a massa, ponha em uma tigela a farinha, o fermento e o leite. Misture bem. Acrescente o açúcar, o óleo e o sal. Misture bem até formar uma massa homogênea. Reserve por 15 minutos. 2 Prepare o recheio misturando todos os ingredientes em uma tigela, exceto o melado. 3 Monte a rosca abrindo a massa sobre uma superfície lisa e polvilhada com farinha de trigo. Despeje o recheio no meio da massa, deixando um espaço vazio até a borda de aproximadamente 2 cm. 4 Preaqueça o forno a 180 °C. Dobre a borda em direção ao recheio e enrole como um rocambole. Una as duas pontas e arrume a massa em uma fôrma de buraco no meio untada com óleo ou óleo de coco. Aqueça o melado e passe sobre a rosca com um pincel, pincelando toda a sua superfície. 5 Leve ao forno e asse por 40 minutos ou até que comece a dourar e, ao espetar um palito na massa, ele saia seco. Retire do forno, espere esfriar, desenforme e decore com nozes picadas.

! *Esta receita é uma adaptação da tradicional Potica, tipo de rosca de oleaginosas servida na Eslovênia.*

MASSA

2½ xícaras de farinha de trigo + um pouco para untar
1 envelope de fermento biológico em pó
1 xícara de leite vegetal morno
2 colheres (sopa) de açúcar
2 colheres (sopa) de óleo de coco ou óleo + um pouco para polvilhar
uma pitada de sal

RECHEIO

¼ de xícara de açúcar mascavo
2 colheres (sopa) de melado
1 colher (chá) de essência de baunilha
½ colher (chá) de canela em pó
2 xícaras de nozes picadas + um pouco para decorar
1 colher (sopa) de melado para pincelar
nozes picadas a gosto para decorar

CROÁCIA

DELÍCIA CREMOSA DE COCO

 3 PORÇÕES   25 MINUTOS + TEMPO DE GELADEIRA

BASE

1 xícara de nozes demolhadas
2 colheres (sopa) de aveia em flocos finos
¼ de xícara de coco ralado seco
3 colheres (chá) de água
óleo para untar

CREME

1 xícara de castanha de caju demolhada e escorrida
1 xícara de leite de vegetal
¼ de xícara de coco ralado
1½ colher (sopa) de amido de milho
3 colheres (sopa) de açúcar demerara
3 colheres (sopa) de essência de rum
¼ de xícara de calda ou geleia de sua preferência

1 Preaqueça o forno a 180 °C. Escorra as nozes e bata no liquidificador. Transfira para uma tigela e misture os ingredientes restantes até formar uma massa homogênea. **2** Forre uma assadeira com papel-alumínio e unte com óleo. Espalhe a massa, alisando-a bem com as costas de uma colher. Leve ao forno por 25 minutos ou até dourar e virar uma espécie de biscoito. **3** Para fazer o recheio, bata bem a castanha no liquidificador e transfira para uma panela. Junte os ingredientes restantes, exceto a calda ou geleia, e leve ao fogo, mexendo sempre até engrossar ligeiramente. **4** Espere amornar e monte o doce, colocando em copos ou taças pedaços do biscoito de nozes no fundo. Cubra com o creme e leve à geladeira por 1 hora. Antes de servir, cubra com a geleia ou a calda.

> Esta é uma versão inspirada na Kremsnita, uma espécie de torta cremosa feita no forno. Optamos por fazer no copo por ser mais prático de preparar e servir. Nossa escolha foi a calda de mirtilo.

PASTEL DE TÂMARA

MALTA

 8 UNIDADES   45 MINUTOS + TEMPO DE GELADEIRA

MASSA
2 xícaras de farinha de trigo
½ xícara de óleo de coco ou óleo
1 colher (sopa) de açúcar
½ colher (chá) de fermento químico em pó
1 colher (sopa) de leite vegetal

RECHEIO
200 g de tâmaras sem caroço
⅓ de xícara de suco coado laranja
raspas da casca de 1 laranja
1 pau de canela
açúcar mascavo misturado com canela em pó a gosto para polvilhar

1 Para fazer a massa, ponha em uma tigela a farinha com o óleo, o açúcar e o fermento. Misture bem até virar uma massa. Junte o leite vegetal e misture mais até ficar homogêneo. Reserve por 2 horas na geladeira.
2 Faça o recheio colocando as tâmaras numa panela pequena com o suco. Leve ao fogo por 10 minutos e adicione as raspas da casca e a canela. Misture bem e deixe no fogo, mexendo às vezes, até o líquido quase secar. 8 Retire do fogo e descarte a canela. 3 Preaqueça o forno a 180 °C. Para montar os pastéis, abra a massa sobre uma superfície lisa no formato de um retângulo. Corte pequenos retângulos e ponha o recheio em pequenas porções no centro da massa. Dobre a massa, pressionando as extremidades com um garfo para o recheio não sair.
4 Disponha os pastéis sobre uma assadeira ligeiramente untada com óleo e leve ao forno até dourarem um pouco. Sirva polvilhado com o açúcar mascavo e a canela misturados.

BÓSNIA

HALVA DE SEMOLINA E OLEAGINOSAS

 6 PORÇÕES   40 MINUTOS + TEMPO DE GELADEIRA

1 xícara de água
½ xícara de açúcar
2 paus de canela
5 cravos-da-índia
suco coado de 1 limão
½ xícara de azeite
1 xícara de semolina
2 colheres (sopa) de gergelim
1 xícara de uva-passa (branca e preta), nozes e pistache grosseiramente picados
óleo para untar
canela em pó a gosto para polvilhar e pistache, sem casca, a gosto para decorar

1 Em uma panela faça uma calda levando ao fogo a água, o açúcar, a canela em pau, o cravo e o suco de limão. Quando aquecer bem, reduza a chama e cozinhe, mexendo às vezes, até engrossar ligeiramente. Retire do fogo e remova a canela e os cravos. 2 Em outra panela, leve ao fogo o azeite. Quando aquecer, ponha a semolina aos poucos, sempre misturando. Cozinhe até começar a desprender da panela. Junte os ingredientes restantes, exceto a canela em pó e o pistache. Misture mais e continue mexendo até desprender novamente da panela e adquirir um tom bem dourado. 3 Acrescente a calda à massa aos poucos, sem parar de mexer. Quando a calda estiver totalmente incorporada, tire do fogo. Reserve por 15 minutos.
4 Forre uma fôrma de bolo inglês média com papel-manteiga untado com óleo e despeje a massa. Leve à geladeira até o momento de servir. Ao servir, decore com canela em pó e pistache.

BOLINHO DOCE

Numa tigela, misture o açúcar, o leite e o fermento. Junte aos poucos a farinha, misturando sempre. Adicione a essência e mexa bem. Aqueça uma panela com óleo e despeje colheradas da massa. Frite até dourar. Escora sobre papel absorvente e passe na mistura de açúcar e canela. Sirva.

! *Estes bolinhos são muito parecidos com o bolinho de chuva ou bolinho d'água, como é conhecido em algumas regiões do Brasil. Mas é uma adaptação do Prigranice, como é conhecido em seu país de origem.*

 12 UNIDADES   35 MINUTOS

- 2 colheres (sopa) de açúcar
- ½ xícara de leite vegetal morno
- ½ colher (sopa) de fermento químico em pó
- 1 ½ xícara de farinha de trigo
- 1 colher (chá) de essência de amêndoa
- óleo para fritar
- açúcar e canela misturados para polvilhar

FRANÇA

CREPE DE LARANJA

 4 PORÇÕES   45 MINUTOS

MASSA

1 colher (sopa) de linhaça
3 colheres (sopa) de água quente
1 colher (sopa) de óleo + um pouco para untar
1 xícara de farinha de trigo
1¼ de xícara de suco de laranja
1 colher (chá) de fermento químico em pó
uma pitada de açúcar

CALDA

1 xícara de água
raspas da casca de 1 laranja
1 xícara de suco coado de laranja
2 colheres (sopa) de açúcar
3 anises-estrelados

1 Para fazer a massa, em uma tigela, ponha a linhaça de molho na água quente e deixe por 30 minutos. Transfira para o liquidificador e bata até virar um creme espesso. Adicione os ingredientes restantes e bata mais. **2** Aqueça uma frigideira untada com óleo e ponha 2 colheres (sopa) da massa. Espalhe, deixe dourar e vire do outro lado para dourar por igual. Retire do fogo e reserve até preparar todos os crepes. **3** Prepare a calda levando ao fogo a água com as raspas da laranja. Cozinhe por 15 minutos. Escorra a água e adicione o suco de laranja, o açúcar e os anises. Cozinhe em fogo baixo até formar uma calda um pouco mais espessa. Sirva a calda sobre os crepes.

Esta receita é uma adaptação do tradicional Crepe Suzette francês, que é flambado.

ALBÂNIA

KURABIE

 12 UNIDADES   45 MINUTOS

Em uma tigela, misture bem os ingredientes, exceto a mistura de açúcar e canela, até formar uma massa homogênea. Preaqueça o forno a 180 ºC. Faça bolinhas com a massa e achate-as levemente. Leve ao forno até dourarem. Polvilhe com açúcar e canela misturados e sirva com smoothie de coco.

¼ de xícara de óleo de coco
½ xícara de açúcar
gotas de essência de baunilha
5 colheres (sopa) de leite vegetal
cravo e canela em pó a gosto
⅓ de xícara de amêndoa picada a gosto
1 xícara de farinha de trigo
mistura de açúcar e canela em pó a gosto para polvilhar

75

ESPANHA

BISCOITINHO TIPO MANTECAL

 8 UNIDADES   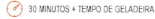 30 MINUTOS + TEMPO DE GELADEIRA

1 xícara de farinha de trigo
⅓ de xícara de açúcar demerara batido no liquidificador
½ xícara de óleo de coco
açúcar cristal a gosto para polvilhar

Preaqueça o forno a 180 °C. Em uma tigela, ponha a farinha, o açúcar e o óleo de coco. Misture bem até que fique uma massa homogênea. Envolva em filme de PVC e deixe na geladeira por 30 minutos. Retire da geladeira e molde bolinhas. Achate-as ligeiramente e ponha em uma assadeira sem untar, deixando espaço entre elas para não grudarem. Leve ao forno por 20 minutos, ou até que fiquem firmes, mas ainda claros. Deixe esfriar, desenforme e sirva polvilhado com açúcar cristal.

! *Ao esfriar, o biscoito fica mais firme. Se preferir, faça um pequeno buraco no centro de cada um antes de levar ao forno e acrescente sua geleia preferida.*

BOLO DE SEMOLINA E LARANJA

GRÉCIA

 8 PEDAÇOS   55 MINUTOS

MASSA

½ xícara de óleo + um pouco para untar
2 colheres (sopa) de linhaça
6 colheres (sopa) de água
1½ xícara de farinha de trigo
1½ colher (sopa) de fermento químico em pó
uma pitada de sal
1 xícara de açúcar
¼ de xícara de semolina
raspas da casca de 1 laranja grande
1 xícara de suco coado de laranja
1 colher (sopa) de gergelim branco levemente torrado

CALDA

2 colheres (sopa) de açúcar demerara batido
raspas e suco de 2 laranjas grandes
raspas de casca ou pedaços de laranja para decorar

---

1 Preaqueça o forno a 180 °C. Unte uma fôrma de bolo inglês média com óleo e forre com papel-manteiga também untado com óleo. Deixe a linhaça de molho na água por 30 minutos e, depois, bata no liquidificador. 2 Em uma tigela, peneire a farinha, o fermento e o sal. Junte a linhaça batida e o óleo. Misture bem e adicione os ingredientes restantes. Mexa até virar uma massa fofa e homogênea. 3 Transfira para a fôrma e leve ao forno por 45 minutos ou até que, espetando um palito, ele saia limpo. 4 Para fazer a calda, leve ao fogo baixo o açúcar, as raspas e o suco de laranja e mexa bem até o açúcar se dissolver. Deixe no fogo, mexendo às vezes, até a calda engrossar ligeiramente. 5 Retire o bolo do forno e faça furos com um garfo. Regue com a calda. Desenforme e sirva decorado com raspas ou pedaços de laranja.

! *Esta receita foi criada a partir do Ravanie, um tipo de bolo muito úmido e macio.*

GRECIA

ARROZ-DOCE

 4 PORÇÕES   35 MINUTOS

1 xícara de arroz
1½ xícara de água
2 paus de canela
5 cravos-da-índia
2 xícaras de leite de coco caseiro
⅔ de xícara de açúcar
raspas da casca de 1 limão sem a parte branca
canela em pó a gosto

Cozinhe o arroz na água com a canela em pau e os cravos até quase secar. Adicione os ingredientes restantes, exceto a canela em pó, e cozinhe em fogo baixo por mais 15 minutos ou até ficar bem consistente. Mexa, às vezes, para não grudar. Transfira para potinhos e polvilhe com a canela em pó antes de servir.

! *Este arroz-doce recebe o nome de Rizogalo, sendo mais consistente do que a versão brasileira.*

TURQUIA

PUDIM CREMOSO DE BAUNILHA E PISTACHE

 4 PORÇÕES   35 MINUTOS + TEMPO DE GELADEIRA

2 colheres (sopa) de amido de milho
3 colheres (sopa) de açúcar
2 xícaras de leite vegetal
3 cardamomos
uma pitada de sal
½ colher (sopa) de essência de baunilha
2 colheres (sopa) de melado de cana
¼ de xícara de pistache sem casca picado

1 Em um recipiente, misture bem o amido e o açúcar. Junte ½ xícara de leite e misture bem. Amasse o cardamomo até as bagas se romperem. Adicione as sementes à mistura de leite. Acrescente o sal e mexa bem. 2 Transfira para uma panela com o leite restante e leve ao fogo. Acrescente a essência, misture e cozinhe, mexendo às vezes, até engrossar.
3 Espere amornar e coloque no recipiente para servir. Cubra com o melado e o pistache. Leve à geladeira até o momento de servir.

! *Esta receita é conhecida como Muhallebi ou Mahallebi, uma espécie de pudim à base de leite vegetal e baunilha, mas com uma camada crocante de pistache.*

ESPANHA

TORTA DE SANTIAGO

 3 UNIDADES   45 MINUTOS

8 colheres (sopa) de leite vegetal
2½ xícaras de farinha de amêndoa
⅓ de xícara de açúcar demerara batido no liquidificador
½ colher (sopa) de canela em pó
raspas de limão a gosto
óleo para untar
2 colheres (sopa) de açúcar de confeiteiro ou cristal para polvilhar

1 Preaqueça o forno a 180 °C. Em uma tigela, misture bem todos os ingredientes, exceto o açúcar de confeiteiro e o óleo, até ficar uma mistura homogênea. Unte com óleo três fôrmas de 10 cm de diâmetro e ponha a massa nelas. Leve ao forno por 35 minutos ou até que comece a dourar e, ao enfiar um palito no centro da tortinha, ele saia seco. Retire do forno, espere amornar e polvilhe com o açúcar cristal ou de confeiteiro.

! *Esta massa fica muito delicada. Então, se preferir, forre a forminha com papel-manteiga untado antes de assar a tortinha.*

SÍRIA

BABAGANUCHE

 2 XÍCARAS   35 MINUTOS

4 berinjelas grandes
⅓ de xícara de azeite
2 colheres (sopa) de tahine
suco coado de 1 limão
1 dente de alho bem ralado
½ xícara de água
sal e pimenta-do-reino moída na hora a gosto
pão sírio ou torradas para servir

Aqueça a berinjela na chama do fogão até ficar com a casca bem enrugada, quando vai começar a se soltar. Deixe esfriar completamente e remova a casca queimada. Transfira a polpa da berinjela para uma tigela e amasse bem. Adicione os ingredientes restantes, sempre misturando bem. Sirva com pão sírio ou torradas.

! *Não lave a berinjela depois de queimar a casca na chama do fogão, pois isso reduz o sabor defumado que esse processo confere à receita.*

TABULE

SÍRIA

 4 PORÇÕES 25 MINUTOS + TEMPO DE REMOLHO

Lave o trigo, escorra bem e coloque de molho por 1 hora em uma tigela coberto com água quente. Pique o cheiro-verde, a hortelã e o tomate. Misture esses ingredientes em uma tigela. Escorra bem o trigo e o adicione à tigela, junto com os dois tipos de alface. Tempere com o suco de limão, o azeite, sal e pimenta. Sirva em seguida.

1 xícara de trigo escuro
1 maço pequeno de cheiro-verde
1 maço pequeno de hortelã
5 tomates grandes sem sementes
1 pé pequeno de alface roxa rasgada
1 pé pequeno de alface verde rasgada
suco coado de 1 limão
3 colheres (sopa) de azeite
sal e pimenta síria a gosto

SÍRIA

HOMUS

 1½ XÍCARA   30 MINUTOS + TEMPO DE PREPARO

200 g de grão-de-bico
2 dentes de alho pequenos sem casca
3 colheres (sopa) de azeite + um pouco para decorar
1½ colher (sopa) de tahine
1½ colher (sopa) de suco de limão
sal, pimenta-do-reino branca moída na hora e cominho a gosto
páprica picante a gosto para decorar

Deixe o grão-de-bico de molho em água suficiente para cobri-lo por uma noite. No dia do preparo, escorra e transfira para a panela de pressão com água suficiente para cobrir os grãos. Tampe a panela e cozinhe por 15 minutos ou até os grãos ficarem macios. Escorra bem. Ponha no liquidificador com os ingredientes restantes e bata até virar uma mistura homogênea. Transfira para o recipiente de servir e decore a gosto com azeite e páprica picante, se desejar.

! Se ficar muito difícil de bater a receita no liquidificador, adicione 3 colheres (sopa) da água do cozimento do grão-de-bico.

LÍBANO

FATUCHE

1 Pincele os pães com azeite. Aqueça o forno a 180 °C e torre levemente os pães. Asse por 5 minutos ou até ficarem crocantes. 2 Corte a alface em tiras e ponha em uma tigela. Junte a cebola, o rabanete, o tomate, o pepino, a salsa e a hortelã. Adicione o pão torrado grosseiramente picado e regue com um fio de azeite. Misture bem e reserve por 15 minutos. 3 Para fazer o molho, coloque todos os ingredientes em uma tigela e bata com um batedor de mão (fouet) para misturá-los bem. Sirva com a salada.

FATUCHE: 4 PORÇÕES   20 MINUTOS

SALADA

2 pães sírios
azeite a gosto para pincelar
1 pé de alface
1 cebola cortada em rodelas finas
2 rabanetes fatiados
200 g de tomates cereja, cortados ao meio
1 pepino cortado em cubos
2 colheres (sopa) de salsa picada
2 colheres (sopa) de hortelã picada

MOLHO

suco coado de ½ limão
2 colheres (sopa) de azeite
1 dente de alho esmagado
½ colher (sopa) de sumagre moído (opcional)

LÍBANO

KAFTA DE FORNO

 12 UNIDADES   45 MINUTOS + TEMPO DE GELADEIRA

1 xícara (de chá) de proteína de soja texturizada
2 xícaras de água quente
1 cebola pequena ralada
¼ de xícara (chá) de azeite
1½ colher (sopa) de orégano, hortelã, tomilho-limão e cheiro-verde frescos e picados a gosto
½ colher (chá) de aceto balsâmico
¾ de xícara de farinha de trigo
alho torrado, lemon pepper, sal e pimenta a gosto
½ colher (sopa) de suco de limão coado

1 Hidrate a proteína na água quente por 30 minutos. Escorra bem e transfira para uma tigela. Junte os ingredientes restantes, misturando bem a cada adição. 2 Cubra e leve à geladeira por 1 hora ou por uma noite, caso queira um sabor mais intenso, pois o tempero vai se acentuar. Retire da geladeira e molde a kafta em palitos, envolvendo-os totalmente com a massa de soja. 3 Preaqueça o forno a 180 ºC. Coloque as kaftas em uma assadeira levemente untada, pincele os espetos com azeite e leve ao forno por 15 minutos. Vire e deixe por mais 15 minutos ou até dourarem ligeiramente. Sirva.

! *Sirva acompanhado de um molho feito de azeite, hortelã picada, 1 dente de alho bem ralado e suco coado de 1 limão. Misture bem todos os ingredientes com um batedor de mão (fouet) e está pronto!*

PÃO PITA

LÍBANO

 6 PÃES MÉDIOS 45 MINUTOS

- 2 xícaras de farinha de trigo + um pouco para polvilhar
- 1 envelope (10 g) de fermento biológico seco instantâneo
- 1 colher (sopa) de açúcar
- 1 xícara de água morna
- ¼ de xícara de azeite + um pouco para untar
- 1 colher (chá) de sal

1 Em uma tigela, coloque a farinha, o fermento e o açúcar. Misture bem. Adicione a água aos poucos, sempre misturando. Acrescente o azeite e misture bem. Por último, o sal. Sove a massa até que fique bem lisa. Reserve por 20 minutos. **2** Preaqueça o forno a 180º C. Divida a massa, formando seis rolinhos. Abra cada um, dando formato redondo. Ponha sobre uma assadeira ligeiramente untada com azeite e polvilhada com farinha de trigo e asse por 15 minutos, ou até dourarem. Sirva.

ISRAEL

PATÊ DE TAHINE

 1 XÍCARA   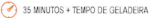 35 MINUTOS + TEMPO DE GELADEIRA

2 dentes de alho
⅔ de xícara de tahine
¾ de xícara de água
2 colheres (sopa) de suco de limão coado
azeite a gosto para regar

Pique o alho e coloque no liquidificador com os ingredientes restantes. Bata bem até ficar cremoso. Retire, transfira para um pote com tampa e leve à geladeira. Sirva com torradas de pão folha ou sírio.

Esta versão foi baseada na receita original de Tehina, uma espécie de patê à base de pasta de gergelim.

MAÇÃ COM ESPECIARIAS

ISRAEL

 4 PORÇÕES   35 MINUTOS

4 maçãs sem casca e sem sementes cortada em cubos bem pequenos
½ xícara de nozes sem casca picadas e levemente douradas
1 colher (sopa) de canela em pó
1 aniz-estrelado
1 colher (sopa) de açúcar mascavo
¼ de xícara de vinho tinto doce vegano

MATZA

¼ de xícara de água
⅓ de xícara de azeite de oliva
1 xícara de farinha de trigo
sal a gosto

1 Prepare a maçã misturando, em uma tigela grande, todos os ingredientes. Cubra bem e deixe em temperatura ambiente enquanto prepara o matza. **2** Preaqueça o forno em temperatura alta. Em uma tigela, misture a água ao azeite. Acrescente a farinha e sal e forme uma massa homogênea. Divida-a em oito partes. Abra cada massa com o rolo sobre uma superfície polvilhada com farinha de trigo até obter uma espessura bem fina. Coloque em uma assadeira e asse por 2 minutos de cada lado ou até ficar dourado. Sirva com a maçã.

! *Esta receita de maçã e especiarias recebe o nome de Haroset ou Charoset, sendo tradicionalmente servida com o matza no Pessach, a Páscoa judaica.*

ISRAEL

MINGAU CREMOSO

 4 PORÇÕES   15 MINUTOS

2 colheres (sopa) de amido de milho
½ xícara de água
2 xícaras de leite de coco caseiro
1 colher (chá) de essência de baunilha
½ xícara de açúcar
uma pitada de canela em pó + um pouco para servir
¼ de xícara de coco ralado fresco + um pouco para servir

Misture o amido e a água em uma xícara pequena e depois despeje em uma panela. Junte o leite de coco aos poucos, mexendo sempre. Leve ao fogo médio, mexendo. Acrescente a essência de baunilha, o açúcar, a canela e o coco. Mexa constantemente até começar a ferver e engrossar. Despeje em tigelas e cubra com mais coco ralado e canela em pó antes de servir.

Sahlab é o nome desta receita, que parece um mingau bem cremoso.

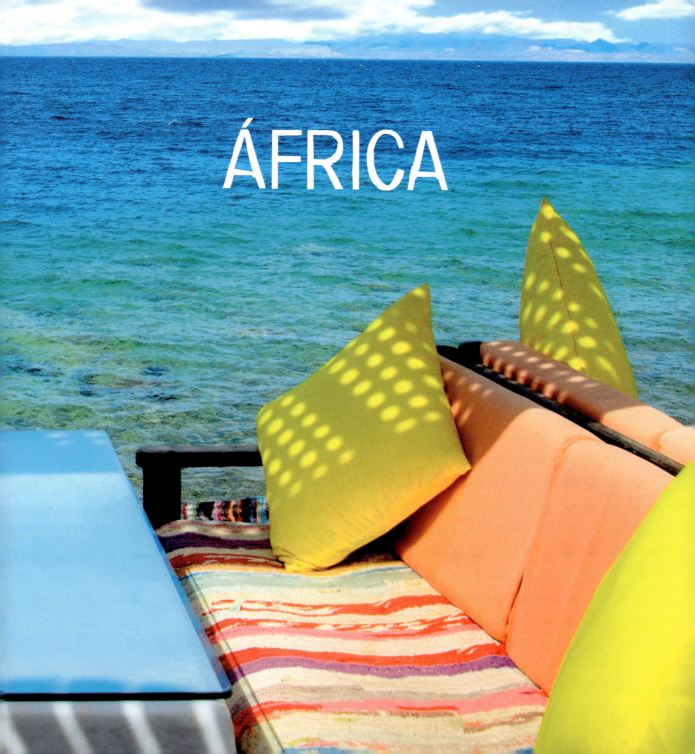

EGITO

PANQUEQUINHA DE GRÃO- -DE-BICO

 6 UNIDADES   45 MINUTOS

1 ½ xícara de grão-de-bico demolhado por uma noite
miolo de 1 pão branco pequeno
2 dentes de alho picados
1 cebola picada
uma pitada de sal e de pimenta-do--reino preta moída na hora
1 colher (chá) de gergelim branco + um pouco para polvilhar
2 colheres (sopa) de pimentão verde pequeno sem sementes e picado
1 colher (sopa) de azeite
3 colheres (sopa) de farinha de trigo
1 colher (chá) de fermento químico em pó

1 Cozinhe o grão-de-bico na pressão com água suficiente para cobrir os grãos por 15 minutos ou até os grãos ficarem macios. Escorra e passe para o processador. Molhe o miolo e junte ao grão-de-bico. Bata e adicione os ingredientes restantes, exceto a farinha e o fermento. 2 Processe bem e transfira para uma tigela. Junte a farinha e o fermento. Modele com as mãos no tamanho de pequenos pires e polvilhe com gergelim. Aqueça uma frigideira pequena untada com óleo e frite até dourar. Vire e frite até dourar do outro lado. Sirva em seguida.

! *Esta receita é uma versão do Taamia, um tipo de bolinho como o Falafel. Se quiser deixá-la mais consistente, adicione mais farinha de trigo. Em geral, é servida com tahine.*

DUKKAH

 1½ XÍCARA   20 MINUTOS

1 ¼ xícara de nozes
2 colheres (sopa) de gergelim branco
2 colheres (sopa) de gergelim preto
2 colheres (sopa) de semente de cardamomo
1 colher (sopa) de semente de cominho
1 colher (sopa) de semente de erva-doce
½ colher (chá) de sal
½ colher (chá) de pimenta-do-reino preta em grãos
1 colher (chá) de zátar
1 (chá) de pimenta vermelha

1 Preaqueça o forno a 180 °C. Doure as nozes no forno por 10 minutos. Em uma frigideira, coloque os dois tipos de gergelim e mexa até tostar. Quando estiver ligeiramente dourado, transfira para um prato. 2 Na mesma frigideira, torre levemente as outras sementes. Coloque todas as sementes no processador e acrescente o sal, a pimenta, o zátar e a pimenta vermelha. Processe até moê-las grosseiramente. 3 Adicione as nozes torradas, já frias, e processe até que estejam moídas grosseiramente. Transfira para um pote esterilizado com tampa e guarde para usar em suas receitas.

TUNÍSIA

SOPA DE GRÃO-DE-BICO

 4 PORÇÕES   35 MINUTOS

2 colheres (sopa) de azeite
1 cebola grande picada
3 dentes de alho picados
2 xícaras de grão-de-bico cozido
sal e pimenta-do-reino preta moída na hora a gosto
1 colher (chá) de cominho
suco coado de 1 limão
½ xícara de molho de tomate caseiro
1 xícara de caldo de legumes
ervas frescas picadas a gosto (use suas preferidas)
torradas de pão a gosto para servir

1 Leve ao fogo uma panela com o azeite, a cebola e o alho. Mexa bem e deixe dourar. Junte o grão-de-bico e tempere com sal, pimenta, o cominho e o suco de limão. Misture bem. 2 Acrescente o molho de tomate e o caldo de legumes. Cozinhe em fogo baixo, com a panela tampada, até o caldo quase secar. Polvilhe com ervas e sirva com torradas.

! *Esta é uma versão da Lablabi, uma sopa condimentada de grão-de-bico.*

CUSCUZ MARROQUINO

MARROCOS

 6 PORÇÕES 25 MINUTOS

1 Coloque o cuscuz em uma tigela e adicione a água quente. Reserve por 15 minutos. Em seguida, junte 1 colher (sopa) de azeite, misture bem e reserve.
2 Em uma panela, aqueça o azeite restante e refogue a cebola. Ao dourar, junte as frutas secas e as oleaginosas, mas reserve algumas para decorar. Mexa bem e acrescente o cuscuz. Tempere com sal e pimenta. Decore com as frutas e oleaginosas reservadas e sirva.

1 xícara de cuscuz marroquino
2 xícaras de água quente
2 colheres (sopa) de azeite
1 cebola picada
¼ de xícara de uvas-passas branca e preta
¼ de xícara de amêndoa
¼ de xícara de amêndoa laminada
⅓ de xícara de castanha de caju sem sal
¼ de xícara de nozes
100 g de ameixa-preta sem caroço
sal e pimenta-do-reino moída na hora a gosto

LÍBIA

ABOBRINHA RECHEADA

 6 PORÇÕES   40 MINUTOS

6 abobrinhas pequenas cortadas ao meio
1 xícara de proteína texturizada de soja
2 xícaras de água quente
2 colheres (sopa) de azeite
1 cebola picada
2 dentes de alho ralados
1 colher (sopa) de aceto balsâmico
suco coado de 1 limão
sal, lemon pepper, pimenta-do-reino moída na hora a gosto
2 colheres (sopa) de molho de tomate caseiro
⅓ de xícara de tofu fresco picado

MOLHO BRANCO

1 colher (sopa) de azeite + um pouco par aregar
1 dente de alho ralado
1 cebola picada
1 xícara de tofu cremoso defumado
½ xícara de leite de aveia
sal e pimenta-do-reino branca moída na hora a gosto
1 ramo de hortelã + algumas folhas picadas para salpicar

1 Afervente a abobrinha e reserve. Remova o miolo e reserve também. Deixe a soja de molho na água quente por 30 minutos. Escorra muito bem. 2 Em uma panela, aqueça o azeite e refogue a cebola e o alho. Quando começarem a dourar, junte a soja e o miolo da abobrinha. Tempere com o aceto, o suco de limão e os temperos. Mexa bem e cozinhe por 10 minutos. Se necessário, adicione um pouco de água. Refogue até a soja ficar bem sequinha. Acrescente o molho e o tofu. Cozinhe por mais 5 minutos, mexendo sempre. Reserve. 3 Para fazer o molho branco, leve ao fogo uma panela com o azeite e refogue o alho e a cebola até ficarem transparentes. Junte o tofu e o leite. Tempere com sal e pimenta e mexa bem. Adicione o ramo de hortelã e cozinhe por 5 minutos ou até engrossar ligeiramente. Descarte a hortelã. 4 Unte um refratário com azeite e ponha parte do molho. Por cima, arrume a abobrinha. Recheie cada abobrinha com a soja refogada. Regue com azeite, ponha o molho restante e cubra com papel-alumínio. Leve ao forno por 10 minutos e sirva regado com mais azeite e salpicada com a hortelã picada.

O nome original da receita que inspirou esta é Koussa be Laban.

MALABIE

LÍBIA

 4 PORÇÕES   35 MINUTOS + TEMPO DE GELADEIRA

2½ colheres (sopa) de amido de milho
3 xícaras de leite vegetal
3 colheres (sopa) de açúcar
2 cubos pequenos de miski (resina vegetal usada em doces árabes; opcional)
1 colher (sopa) de água de flor de laranjeira

CALDA

200 g de damasco picado em cubos
2 xícaras de água
¼ de xícara de açúcar

1 Dissolva o amido no leite. Coloque em uma panela e acrescente o açúcar. Leve ao fogo e cozinhe, mexendo até engrossar. 2 Retire do fogo e adicione o miski triturado e a água de laranjeira. Misture bem. Espere amornar e coloque em copos ou taças para servir. 3 Prepare a calda levando ao fogo todos os ingredientes. Mexa às vezes, até engrossar. Despeje essa calda sobre o creme e leve à geladeira até o momento de servir.

EGITO

BOLO DE SEMOLINA

 8 PEDAÇOS   1H30

¼ de xícara de óleo + um pouco para untar
2 xícaras de leite vegetal
½ colher (sopa) de essência de baunilha
2 xícaras de semolina
¼ de xícara de açúcar refinado
2 colheres (chá) de fermento químico em pó
uma pitada de sal
¼ de xícara de coco ralado
½ colher (sopa) de água de rosas
açúcar e canela misturados a gosto para polvilhar
amêndoas em lâminas torradas a gosto para decorar

1 Em uma tigela, misture o óleo, o leite e a essência de baunilha. Com um batedor de mão (fouet), bata um pouco e acrescente a semolina, o açúcar, o fermento, o sal, o coco ralado e a água de rosas. Bata novamente até obter uma massa homogênea. 2 Preaqueça o forno a 180 °C. Distribua a mistura em uma assadeira pequena untada com óleo e deixe descansar por 30 minutos. Depois, asse por 35 minutos ou até que, ao espetar um palito, ele saia limpo. Polvilhe com o açúcar e canela misturados e decore com a amêndoa em lâminas.

! *Basbousa é o nome deste bolo, que é banhado em água de rosas. Se você não gostar ou desconhecer esse ingrediente, experimente a receita com a quantidade indicada e, uma vez acostumado, use mais, pois seu sabor é marcante.*

EGITO

PUDIM DE PÃO SUPERPRÁTICO

 4 PORÇÕES   45 MINUTOS

1 Preaqueça o forno a 180 ºC. Coloque os pães em uma assadeira e leve ao forno por 10 minutos. Retire os pães do forno e parta-os em pedaços pequenos. 2 Em uma tigela, coloque as oleaginosas, o coco e as passas. Misture bem. 3 Em uma panela, junte o leite, o açúcar, a essência de baunilha e o amido. Leve ao fogo, mexendo até começar a engrossar. Retire do fogo e deixe amornar. 4 Coloque em um recipiente que possa ir ao forno e alterne camadas de leite, pão e frutas. Termine com uma camada do leite. Decore com as nozes e amêndoas moídas e leve ao forno por 25 minutos ou até engrossar. Sirva morno.

! *Esta é uma versão do Om Ali, um tipo de pudim de pão superfácil de fazer.*

250 g de pão doce
¼ de de xícara de pistache picado
¼ de xícara de amêndoa picada
¼ de xícara de nozes picadas
¼ de xícara de coco ralado
2 colheres (sopa) de uva-passa
2½ xícaras de leite vegetal
½ xícara de açúcar
1 colher (sopa) de essência de baunilha
½ colher (sopa) de amido de milho
nozes e amêndoas moídas a gosto para decorar

Salgados

Abobrinha recheada 116
Babaganuche 88
Batata gratinada 32
Byrek 31
Cepavi 36
Cuscuz marroquino 115
Dukkah 111
Fatuche 95
Focaccia 51
Fritada de espaguetinho 43
Gaspacho 20
Homus 92
Kafta de forno 96
Lasanha de berinjela 27
Nhoque de semolina 39
Paella de legumes 23
Panqueca de grão-de-bico 47
Panquequinha de grão-de-bico 108
Pão de ervas 48
Pão pita 99
Patê de tahine 100
Pilaf com especiarias 28
Pimentões recheados 24
Ratatouille 35
Sopa de grão-de-bico 112
Strudel de alho-poró e tofu 44
Tabule 91
Tahine 40

Doces

Arroz-doce 80
Biscoitinho tipo mantecal 76
Bolinho doce 71
Bolo de semolina 120
Bolo de semolina e laranja 79
Clafoutis de frutas vermelhas 52
Crepe de laranja 72
Delícia cremosa de coco 64
Granita de laranja 59
Halva de semolina e oleaginosas 68
Kurabie 75
Maçã com especiarias 103
Malabie 119
Mingau cremoso 104
Pastel de tâmara 67
Pudim cremoso de baunilha e pistache 84
Pudim de pão superprático 123
Rosca de nozes 63
Salame de chocolate 56
Tiramisu 55
Torta de Santiago 83
Torta invertida de maçã 60

Copyright de texto e fotos © 2018 Alaúde Editorial Ltda.

Todos os direitos reservados. Nenhuma parte desta edição pode ser utilizada ou reproduzida – em qualquer meio ou forma, seja mecânico ou eletrônico –, nem apropriada ou estocada em sistema de banco de dados sem a expressa autorização da editora.

O texto deste livro foi fixado conforme o acordo ortográfico vigente no Brasil desde 1º de janeiro de 2009.

Desenvolvimento de receitas e produção de objetos: Katia Cardoso
Produção culinária: Verônica Silva
Revisão: Claudia Vilas Gomes, Camile Mendrot (Ab Aeterno)
Capa, fotos e projeto gráfico: Cesar Godoy (exceto págs. 18-9, 86-7 e 106-7/ShutterStock.com)

A editora gostaria de agradecer às seguintes empresas pelo empréstimo/cessão do material usado na produção das fotos: Copra (http://www.copraalimentos.com.br), óleo e farinha de coco; D. Filipa (http://dfilipa.com.br), bandejas antigas de prata e madeira, peças em estanho, copos antigos de vidro; Gina Campos (www.ginacampos.com.br), guardanapos; Mel de Uruçu (http://www.meldeurucu.com) oleaginosas e condimentos para as receitas e fotos; Olaria Paulistana (www.olariapaulistana.com.br), pratos, canecas e demais peças de cerâmica e Roberto Simões Casa (https://www.robertosimoescasa.com.br), pratos, bandejas, guardanapos, prendedores de guardanapo, taças e copos de vidro.

1ª edição, 2019
Impresso no Brasil

Dados Internacionais de Catalogação na Publicação (CIP)
(Câmara Brasileira do Livro, SP, Brasil)

Vegano pelo Mediterrâneo : 50 receitas que valem a viagem / [coordenação Alaúde Editorial]. -- São Paulo : Alaúde Editorial, 2018.

ISBN 978-85-7881-533-2

1. Culinária vegana 2. Culinária (Receitas) 3. Culinária mediterrânea I. Alaúde, Editora.

18-16730   CDD-641.5636

Índices para catálogo sistemático:
1. Receitas veganas : Culinária   641.5636
Iolanda Rodrigues Biode - Bibliotecária - CRB-8/10014

2019
Alaúde Editorial Ltda.
Avenida Paulista, 1337, conjunto 11, Bela Vista
São Paulo, SP, 01311-200
Tels.: (11) 3146-9700 / 5572-9474
www.alaude.com.br

Compartilhe a sua opinião sobre este livro usando as hashtags
#VeganoPeloMediterrâneo e
#PlanetaVegano
nas nossas redes sociais:

/EditoraAlaude
/EditoraAlaude
/AlaudeEditora

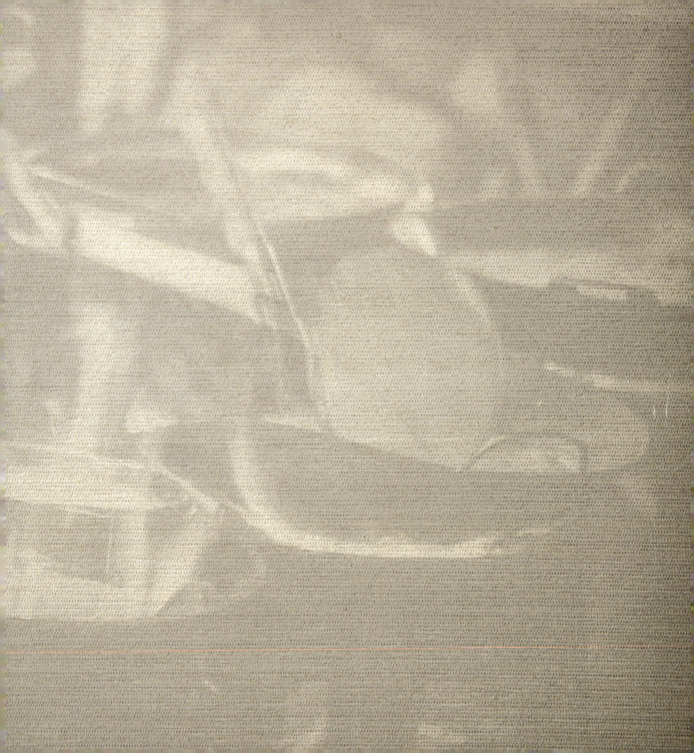